나는 이런 사람이 좋더라,

나는 이런 사람이 좋더라,

발행   2024년 03월 05일
저자   원s 문학산책
펴낸이   한건희
펴낸곳   주식회사 부크크
출판사등록 2014. 07. 15(제2014-16호)
주소   서울특별시 금천구 가산디지털1로 119 A동 305호
전화   1670-8316
E-mail   info@bookk.co.kr
ISBN   979-11-410-7486-9

www.bookk.co.kr

나는 이런 사람이 좋더라,

원s 문학산책 지음

BOOKK

작가명 원s 문학산책은 네이버 블로그명이다. 현재 구독자 수 1000명을 보유하고 있다.

저서로는 <긁적 글적>있다. (훗날 나의 블로그 이웃수는 5000명으로 늘어날 예정이다.) 본명은 김진원이다. 이름을 한자로 쓰면 津(나루) 진 에 元(으뜸) 원을 써서인지, 친구들 만남 보다 수영장 가는 순간을 더 설레한다.

1986년 대구 출생으로 현재는 타지에서 객지 생활하고 있다.

책 읽기와 글쓰기를 통해 세상을 다시 바라보는 습관을 가지고 있다. 빠른 순간보다는 소소함과 여유로움을 좋아한다. 그래서 신나는 음악보다 차분한 음악을 좋아한다. 시끄러운 사람보다는 따뜻한 사람을 좋아한다. 생수보다 맛을 음미할 수 있는 커피를 즐겨마신다.

사람에게 나오는 결을 좋아하지만, 사람에게서 비난을 들으면 그
상처는 오래 간다.
혼자라는 외로움을 싫어하지만, 의무적인 만남은 싫어한다.

2월 29일은 4년마다 찾아오는 특별한 날입니다.
모두가 평범하게 지나칠 오늘 두 번째 스치는 생각을 써봅니다.

2. 29일

- 김진원 씀

서문

시간을 조절하는 윤년은 4년 마다 한 번 돌아오는 날을 의미합니다.
지구 공전주기는 365.2422일이에요. 0.2422일을 그저 내버려둔
다면, 달력과 계절주기가 달라질 수 있겠죠.
(8월에 눈이 오거나 12월에 봄비가 내릴 거에요. 그런 세상이 있
다면 헷갈리긴 하겠네요.)
그래서 0.2422 * 4 =1일을 2월에 덧붙어 2월 29일이 탄생하게 된
것이죠.
가수 별 노래 '12월 32일'은 오지 않겠지만, 2월 29일은 꾸준히 찾
아 옵니다.
봄바람이 살랑 부는 2월의 어느 날 버스 창가에 앉아 무심히 행인들
을 바라보았습니다. 부족한 것은 채워가고 함께 공존하는 우리 관계
맺음이 인간이 만든 윤년의 지혜와 같다는 생각이 스쳤습니다.

우리가 즐겨 쓰는 카카오톡에는 가족, 지인들의 생일을 알리는 기능이 있어 언제든지 선물과 안부를 묻곤 하는데요. 2월 29일 태어난 사람들에겐 4년마다 알릴 수 있는 기능이 어찌나 서운할지 하는 생각도 스칩니다.

제 주변에는 없겠지만, 만약 윤년에 태어난 사람이 계신다면 그분의 생일을 꼭 기억해두었다가, 2월 28일 또는 3월 1일이 되면 축하의 인사를 남기는 지혜를 발휘하고 싶습니다.

저의 두 번째 책 <나는 이런 사람이 좋더라,>는 2023년 홀로 '생명사랑 밤길걷기' 하며 떠오른 문구입니다.

오랜 시간 동안 걷다 보니 드는 생각이 나는 누구인가? 나는 누구를 좋아하는가? 나는 누구를 싫어하는가? 를 곰곰이 고민하게 되었습니다. 나는 나 자신을 싫어하는 면도 발견해 살짝 웃픈 미소도 나오기도 했습니다.

지난 저의 첫 에세이 <긁적 글적>은 총 4권이 판매된 책입니다.

출판사 계약 없이 내놓은 책이긴 하지만, 책 출간 소문을 듣고 구매해 주신 김경선 선생님, 변아연 동생, 이혜민 동생 그리고 이름 모를 아무개 님에게 감사 인사를 드립니다.

2월 29일 씀

나무는 페러 연못은 탈라브
운명은 바갸 작별은 비다이
당신을 사랑해가 무엇이냐고 묻자
그런 것은 말하지 않는 것이라고 했다.
그냥 바라보는 것이라고

-류시화 옛수첩에는 아직

담백하다

2월은 입춘이 있고 정월 대보름이 있다.

이마에 따뜻한 바람이 스치면, 이제 봄이구나 싶다.

봄기운이 돋을 때는 당장이라도 김승옥 '무진기행' 첫 구절인 'MUJIN 10KM 이정비'를 보고 싶어진다. 얇아진 옷을 입고 어디든 떠나고 싶다.

책방에 들려 담백한 글들을 독식하고 싶다.

담백하다

1. 욕심이 없고 마음이 깨끗하다.

2. 아무 맛이 없고 싱겁다.

3. 음식이 느끼하지 않고 산뜻하다.

모두가 독립영화를 B급 감성, 마이너 감성이라 평가하지만, 나는 독립영화를 담백한 영화라고 평가하고 싶다. 화려한 CG 효과가 없어도 좋다

유명한 배우가 아니라도 무명배우 대사에 집중할 수 있어 즐겨 보게 된다.

악보와 반대로 연주하면서 시작된 장르를 재즈라고 한다.

재즈 역시 불규칙 곡조가 아닌 담백한 장르라 칭하고 싶다.

기온차도 많이 좁혀진 5월은 반팔을 입더라도 봄이 사라진 것이 아니다. 그늘만 찾아가면 다시 봄은 마주할 수 있다. 살랑거리는 봄바람에 팔짱을 껴본 기억이 생생하기 때문에 5월은 담백한 봄인 것이다.

그래서 그늘 아래 앉아 시시콜콜한 대화도 나눌 수 있었다. 더울 때와 추울 때는 용건만 간단히 나누고 오랜 시간을 마주할 수 없기 때문에 실내에서 담소를 나누거나 혼자 있는 시간들이 많아 진다.

봄바람 불던 대구 청라언덕에서

초연한 봄

기상예보를 보면 기온이 과하지 않고 모자라지 않을 때를 빗대어 완연한 가을 완연한 봄이란 표현을 쓴다.

올해도 어김 없이 완연한 봄이 찾아온다. 봄이면 뒤숭숭해진 마음을 '춘수'라 한다.

입맛이 무뎌지고 입안이 건조해지는 계절이지만, 눈은 호강해지는 계절이다. 매화가 지면 개나리가 머물고 벚꽃이 피어난다.

벚꽃이 사라지기 무섭게 튤립, 장미가 찾아오는 축복 받은 계절이다.

꽃들은 피움과 동시에 머무를 자리를 준비한다.

어떤 현실 속에 벗어나 아랑곳하지 않고 의젓한 봄.

국화 보다 매화 향이 그윽해 옛 사람들은 매화를 찾아 떠나는 여행을 '탐매'라고 불렀다.

그래서 여타 수준 보다 뛰어난 봄.

귓가에는 성시경 노래, 김동률 노래가 애절하게 들리고
윤동주 시인, 나태주 시인의 대화가 오래 여운 남는다.
피천득 '인연' 수필이 제법 잘 어울리는 봄.

어느 수식어도 어울리는 이 봄에는 초연하다도 제법 잘어울린다.

초연하다

1. 어떤 현실 속에서 벗어나 그 현실에 아랑곳하지 않고 의젓하다.

2. 보통 수준보다 훨씬 뛰어나다.

나는 사계절 중 봄을 선호한다.
이렇게 봄에 대한 찬미를 남겨본다.

나는 이런 사람이 좋더라,

책 읽는 사람

말이 없는 사람

긍정적인 사람

성실한 사람

부지런한 사람

주변이 항상 깨끗한 사람

여유가 있는 사람

한 분야에 전문적인 사람

겸손한 사람

눈에 밝은 빛이 나는 사람

자신감이 넘치는 사람

음악을 좋아하는 사람

예술을 좋아하는 사람

나는 이런 사람이 싫더라

매사 부정적인 사람

항상 안된다는 단어부터 꺼내는 사람

다혈질적인 사람

상대를 왕왕 비하하는 사람

사치가 심한 사람

이기적인 사람

얼굴 빛이 어두운 사람

눈 비치 흐리멍텅한 사람

속을 알 수 없는 사람

뒷담화를 즐기는 사람

냄세나는 사람(게으른 사람)

나는 이런게 좋더라

저녁식사 이후 캔들에 불 붙이고 불멍하기

떡볶이 안주로 소주 마시기

아침일찍 일어나서 정리하기

갈증해소로 우유 벌컥벌컥 마시기

카페 순례하기

쉬는 날 소소하게 라면(한봉지 반정도) 먹기

뜨끈한 국물음식과 반주하기(맥주 한잔정도)

동네서점 찾아다니기

밤 산책하기

퇴근길 차안에서 시원하게 욕하기

경제신문읽기

서점에서 책 고르기

처음 보는 수제맥주 골라서 마셔보기

A4용지에 낙서하기

무더운 여름 수영장 가서 수영하기

수영장 강습때 맨 앞자리에서 참여하기

자장면에 고춧가루 팍팍 넣어서 먹기

술취하는 밤 마다 친구들에게 오글거리는 문자 보내기

사실

나는 가끔 부정적이긴해, 험담을 한 적도 은근히 많아

시작과 동시에 의지가 부족하고, 서운한 이야기에 급 우울할 때도

있어. 또는 급 예민해져 소심해질 때도 많아

작은 성공에 우쭐할 때도 있었어. 업무공간에서 가식적일 때도 많아.

이런 내가 못마땅하고 밉지만

그럼에도 이런 내가좋다-

나는 이런 사람이 좋았고

이런 사람들을 싫어 했었어.

앞으로 나는 나를 사랑할 거야.

3시간 40분 영화

작년 故이건희 회장 수집품을 기획전시한 '어느 수집가의 초대'를 다녀온 적이 있다. 수백점 작품중 유독 눈에 띄는 작품이 있었다. 천경자 화가 그린 '킨샤사 공항'에 매료되었었다.

그녀가 공항에 막 도착해서 본 광경인지, 모든 일정을 마치고 돌아가기전 모습인지 알 수 없지만, 1974년 천경자 화가 눈에는 여행에서 오는 행복을 표현 하는 듯 했다.
여행에 끝이든 시작이든 설렘은 항상 똑같아야 된다.
여행의 갈무리는 다음 날 출근에 대한 두려움 대신 지난 추억을 되새겨야 한다.

천경자 킨샤사 공항 1974.

영화 식스센스를 본 사람들은 상영관 앞에 영화를 기다리는 사람들을 향해 "브루스 윌리스는 이미 죽은 사람이다." 라며 스포일러를 저지르는 사람들이 많았다고 한다.

최근에는 마블제작 영화 '앤드게임'에서 아이언맨은 죽는다. 캡틴 아메리카는 노인이 된다. 블랙 위도우는 실종 된다는 등 망언을 퍼뜨리는 스포일러도 있었다.

3박 4일의 여행을 끝내고 돌아가는 플랫폼에서

나는 외치고 싶었다.

이번 여행은 3시간 40분짜리 영화 같았다.

그리고

다음주 태풍 온 대요~

변덕스럽다.

러시아에서 4월은 아네모네 라고 부른다. 겨울이 긴 지역이다 보니 대지에는 눈들이 퍼져 있고 강가에는 얼음이 녹지 않고 있다. 아네모네는 4월에 피는 꽃이기도 한데, 꽃말은 '배신', '가망없는 사랑'을 의미한다.

4월은 계절상 봄인데 낮이면 여름스럽기도 하다.

천천히 꺼져 가는 어둠은 노을이 미련스럽게 붙잡기도 한다.

우리의 마음도 노을과 같다. 식어버린 떠난 님이 혹시나 돌아올까? 질척거리는 희망을 누구나 가져봤을 것이다.

건물은 그대로 멈춰 있고 구름은 천천히 흐르는데,

내 걸음만 유독 빠르게 달려간다.

예고 없이 내린 소나기에

나의 플레이 리스트는 최신가요에서 이소라 '나를 사랑하지 않는

그대에게'곡으로 흘러간다.

악보에서 스피아나토가 보이면 : 매끄럽고 안정하게 연주하라를

뜻한다.

밤이 찾아오면 험악하게 울부짖는 개 소리

방충망을 뚫고 오려는 벌레들

매일 시차적응을 앓는 불면증 현대인들 그 외 난잡한 소음들

갑작스런 비 소리에

우리 모두 스피아나토가 되어간다.

변덕스럼속에서 균형을 잡는 모순을 발견한다.

기억나지 않을 이름들

15년 전 필자는 강원도 철원에서 육군 간부로 복무했었다.

겨울이면 대설이 내리는 저주 받은 지역이다. 제설 장비로 도로결빙을 방지하기 위해 틈만 나면 전 부대원들이 집합해 제설 작업을 한 적 있다.

2009년 겨울 어김없이 폭설이 내렸다.

방한 장갑 안에 손가락은 싸리나무를 불편하게 잡아야 했고, 전투화 속 발가락은 끊어내고 싶은 심정이었다.

콧구멍은 추위에 오므라들기 일쑤였고 입김인지 찬 공기인지 구분이 안 가는 그날 그곳에서 나는 오랜시간동안 제설 작업했었다.

그런데 같이 작업 했던, 장병들의 이름이 기억나지 않는다.

눈썹이 짙었던 장병 얼굴이 어렴풋이 기억난다. 뿔테안경이 제법 잘 어울리던 장병도 있었다. 또 어떤 아무개는 전역을 곧 앞둔 말년

병장인데, 군제대 하면 갤럭시 폰 시리즈 1을 구매하겠다고 한다.

계급은 이등병부터 소위까지 다양하게 모였지만,

그날 하루는 어린아이처럼 마지막에는 눈싸움도 즐겼다.

지나고 보니 아련하기만 하던 그날의 기억들

홍조 띤 그들의 얼굴들

그날은 기억하지만 함께했던 그들의

이름이 기억나지 않아서

더욱 아련하고 그리워 진다.

내 15년전 이름은 김진원 중사입니다. 오래전 당신의 이름은 어떻게 되시나요?

여름이 내게 찾아와

코 끝에 비릿한 흙냄새와 두텁게 모이는 먹구름 곧 쏟아지는 빗방울들 반복적인 템포와 불규칙적인 장맛비

하늘에 구멍이 뚫린 것 같다. 형형색색 우산을 쓰고 장화 또는 슬리퍼로 빗물을 통과 시킨다. 차도에 차들은 파도소리를 내며 빗길을 뚫고 지나간다.

축축한 도로위 운전대를 잡은 양손과 브레이크를 밟은 발은 괜히 수축되어간다.

영화 '여인의 향기'에서 알파치노가 마시는 위스키 맛이 궁금해지는 여름이다. 한 번도 맛본 적 없지만, 괜히 혀끝을 짜릿하게 해줄 것 같다. 발라드 곡은 비수기철이지만, 현악기에 느릿함이 제법 어울리는 여름이다. 비 오는 날 김광석에 '잊어야 한다는 마음

으로' 이문세 '소녀'를 들어 봐야 한다.

특히 이어폰을 꽂고 비틀스 'yesterday'를 귀 기울이면 전주 부분 흘러나오는 첼로와 기타 연주만으로도 감동을 불러온다. 옛 노래가 촌스러울지라도 반주곡에 들리는 아르페지오를 들어보길 추천한다.

아침형 인간도 오후면 나른해지는 여름

저녁형 인간은 오후면 깨어나는 게으른 여름

따가운 햇볕에는 노을이 찾아와야지 겨우 하늘을 바라볼 계절이다.

이름 알 수 없는 벌레들에게 손으로 주먹질해 본다.

실수로 입안으로 맛보기도 한다.

나른한 오후 몸은 느릿해져도 다양한 사색 거리가 넘쳐나는

여름이 내게 찾아와

평택 지제역

끝 없는 장마
끝이 보이는 노래가사들
그 끝은 무지개가 기다려

가을에 해야 할 일

살이 닿는 청량한 바람 때문에 긴 옷으로 갈아입기 싫어진다. 쌀쌀한 밤에는 여름 내내 묵혀두었던 푹신한 이불을 꺼내 코를 박아 섬유 유연제 냄새를 킁킁 대본다.

그리고 내 몸에 감싸 따뜻함을 느껴 본다. 이내 노곤함이 찾아온다.

별자리를 몰라도 별 하나 정도는 쉽게 찾을 수 있다.

구름도 뚜렷이 보이는 계절 가을이다.

구름이 지상과 우주를 구분해 주기에 예술작품을 구경하듯 머리를 지켜 든다.

밥 한 숟가락에 배부름보다 설렘이 크게 다가오는 계절 가을.

운전대에 손을 잡고 음악을 크게 키우고 카메라에

구름을 담을 준비하러 밖에 나가 보자

가을 하늘을 담아주는 대구 학생회관에서

구름은 언제나 우리 곁에 머물러

멜랑콜리한 가을

김광섭 ' 저녁에' 시 한 구절에

내 마음이 멜랑콜리해진다.

새벽 퇴근길에 울린 신호등 빨간불이

태양이 뜬 것 마냥 밝게 빛났다.

우주에 해와 달이 함께 공존하는 착각을 준다.

향기는 아래에서 위로 올라간다. 그래서 조향사는 손목이 아닌 무
릎 뒤에 향수를 뿌린다.

소설가 강신재는 좋아하는 사람에게서 비누 향이 난다고 했다.

나도 비누 향이 나는 사람이 나타났으면 좋겠다.

해가 느슨해진 탓에 석양을 여름처럼 오래 볼 수 없다.

석양이 묻은 밤 하늘은 워낙 장관이라 내 부족한 글솜씨로 표현
할 방법을 못찾겠다.

성경에서 욥이란 인물이이 겪는 고통(육체적+정신적)을 글로 표현할 수 없어 몹시 답답해했다.

가을만 되면 멜랑콜리한 이 기분이 자주 들어 나도 답답할 따름이다.(표현하기 어려운 이 멜랑콜리 함이란)

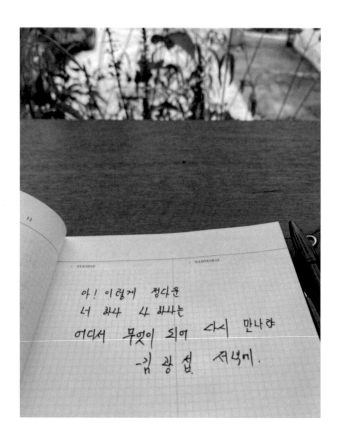

우리에게도 경계가 필요해

지구와 우주 사이 경계는

구름이 그 역할을 한다.

구름은 우주로부터 뜨거운 태양과 적재적소

가뭄을 막아준다.

구름이 존재하기에 B612 행성에 살고 있는 어린 왕자도 지구를

쉽게 식별할 수 있다.

구름은 만질 수 없지만 볼 수는 있다.

산악인들이 산운에 갇혀도 감각은 없지만 느낄 수는 있다.

저녁이 되어도 구름은 우리 곁에 머문다.

여기는 지구 그대는 우주라고 구름이 알려준다.

보이지만 볼 수 없는 느낄 수 있지만 만질 수 없는 구름 같은 존재

가 우리 관계에도 필요하단 생각이 든다.

갑질 학부모들은

유치원 보육 교사에게 갑질하고

초등학교 교사에게 갑질하고

군대 입대해서도 갑질하는 학부모 새끼들 덕분에

그동안 꾹 참아왔던 인내심은 바닥이 되었고

안타까운 소식들만 곳곳에서 들려온다.

어쩌면 50년 뒤 갑질 부모들은

금쪽이들 실버타운에 입소할 때

"우리 할아비가 참고 있어요"

"우리 할아범이 하늘에서 지켜보고 있어요"

이럴 것 같다.

지금부터

10년 전 필자 개인적인 이야기를 하고자 한다.

나는 대구 ㅇㅇ학원에서 기타 악기를 강습 받은 적 있었다.

나의 기타 사부님(선생님)은 강습이 끝나면 종종 일부 제자들 과 식당으로 곧장 나아가 늦은 저녁밥을 먹거나 함께 술을 곁들기도 했다. 또는 연습에 지친 우리를 위해 현란한 기타 솜씨도 보여주시곤 했다. 그럴 때면, 동기 부여 와 존경이라는 감정이 동시에 깃들게 하셨다.

스승님 나이는 필자 보다 10살 많으셨다. 자랑은 아니지만, 다른 학생들보다 내가 조금 더 친분이 두터웠다. 밖에서 평범한 관계로 만났다면 "형님"이라고 불렀을 터 충분히 친한 사이이고, 아무리 짧은 강습 기간에 만난 인연이라도 나는 절대로 형님 이란 호칭을 쓰지 않았다.

늘 선생님 또는 쌤이라고 그를 불렀다.

10년이 지난 지금도 나는 그를 선생님이라고 부르지,

형, 형님이라 부르지 않는다.

금지옥엽으로 만들어진 새장에 갇힌 학생들

갑질 학부모 인한 선생님들의 안타까운 소식

폭언에 시름시름 앓고 있는 청년들

얽히고설킨 정치 위기를 보면서

우리 관계에

구름 같은 경계가 있다면, 얼마나 행복한 세상이 될까

감사합니다 쌤

오후 2:26

📅 2023년 9월 28일 목요일 ›

쌤 즐거운 한가위 되시고
푸짐한 음식드시며 올해도 건강하
십쇼

:06

쌤

고맙다 진원~~
좋은날 보자꾸나

오후 7:09

감사합니다- 보고싶습니다 쌤

후 7:45

쌤

나도~

오후 9:46

😊   #   🎤

겨울 그리고 공간

12월이면 계명대 채플관 건물벽면에 대형 트리를 장식한다

내 나이 26살 때 MP3으로 흘러나오는 김동률 노래
에 밤잠을 뒤척인 적이 여러 있었다. 노래 가사들이
하나 같이 내 마음을 울적하게 만들어 주어서이다.
그 다음 해 크리스마스이브 저녁 성서 계명대
채플관 올라가 김동률 '이제서야'를 무한 반복으로 들었다.
아무도 없는 고요한 공간에서 대구 야경을 바라보았다.
차가운 공기, 도시에서 뿜어 나오는 백색소음들 내
주변 으로 퍼지는 노래 가사들이 너무 좋아 연례행사처럼 매년
크리스마스이브만 되면 채플관을 찾아가 김동률 음악을 듣고 내
려오곤 했다.

그러나 연례행사는 코로나가 시작된 2020년부터 멈춰 버렸다.

사회적 격리 조치로 인해 일반인은 학교 출입이 금지되었기 때문이다.

올해 겨울 크리스마스가 올 때 그 공간을 다시 찾아가보고 싶다.

평범한 공간/ 장소에서 느끼는 연대 감동을 '토포필리아' 라고 부른다. 그대의 토포 필리아는 어디인가요!

한국과 뉴욕은 14시간 시차가 필요하다.

근데 두 국가 시침을 놓고 보면 굉장히 가까운 거리에 있다.

살아온 환경도 다르고 언어도 다르지만,

우린 똑같은 사람이지

AM 2:30 일탈

내가 32살 된 해 소주 3병까지 마셔 본 경험이 있다.
선배의 강요 섞인 술자리라 압박감과 긴장감에 마실
수 밖에 없었다. 그날 나는 선배의 부축을 당하며
거칠게 갈지(之) 걸음으로 걸어간 기억이 난다. 나는
술자리가 있을 때마다 친구들이 손수 바래다주는
길을 몹시 어색하고 불편해 한다. 왜냐면 혼자만의
사색하는 시간을 가지고 싶어서이다. 똑같은 노래를
무한대로 들으며 걷거나 밤공기에 취해 흥얼거리고
싶기도 한다. 때론
편의점에 들러 국물 라면과 숙취해소제를 마시는
행동이 소소한 행복으로 느껴진다.
아 그리고 술이 많이 취했을 때 빙그레 바나나

우유와 딸기우유를 꼭 마셔 줘야 한다. 웬만한
숙취해소 제보다 훌륭하다.

술이 취해 갈지(之) 자로 걷는 이유는 누구랑
마시느냐 따라 다르고, 주량에 따라 달라질 것이다.
나는 불편한 사람들과 함께 한 술자리는 거칠게
갈지(之)로 걸었다면,
사랑하는 그대들과 함께 한잔하고 돌아가는 길은
젓가락 행진처럼 일자형으로 걷게 된다.

패랭이꽃이 피면 여름이 시작된다. 수국과 능소화는
그 다음 순서이다.
아무개는 '무더운 여름'이라고 부르고, 어떤
이는 '시원한 여름'이라 부른다. 여름 나기는 여름을
남 (=보내다)를 뜻한다.
지구인들 모두 개성 있는 여름 나기를 지낸다.
예초기가 지나간 자리엔 비릿한 풀 내음이 코 끝을
자극한다. 멀쩡하던 풀들이 속 마음이 많이 아파서
그런가 보다.

현재 시간 02시 30분 잠이 찾아오지 않아,
나는 지금 얼음 한가득 담긴 컵에 소주를 절반 붓고
기웃기웃 마시며 이 여름을 보내고 있다.
아이리스 꽃이 피면 여름이 시작된다. 아이리스 꽃

말은

'좋은 소식, 잘 전해주세요' 이다.

모두 아픔 없는 건강한 여름나기 약속

2023년 7월 31일 자취방에서

철원 고석정 꽃밭에서 여름나기

나는 한 잔 대포에 비지국을 향락한 뒷면, 웃옷을 벗는 한이 있더라도 반드
시 하이볼을 마신다. 그래야만 하이볼의 맛을 확실히 알 수가 있고, 그 진경
에 들어갈 수가 있으니까

1940. 5 김환기

감삼 그리고 감사

후백제의 견훤은 원래 상주 고을 가은현 사람으로
본래의 성은 이씨였으나 후백제 왕의 악몽을 갖고
천하를 병탕코자 공산동 수대전을 시정함에 고려
태조 왕건이 정기 5천명으로 공산 아래서 맞아
대전을 벌였으나 전세가 불리하여 장사
김락(金樂)과 신숭겸(申崇謙)이 죽고 제군이
패배함으로 왕건은 난을 피하여 지금의 동내동까지
이르니 적국의 추격이 없으므로 한줌의 땀을 식히고
숨을 돌리게 되니 이 곳을 안심(安心)이라고 불렸다.

대구에는 안심이란 지역이 있다. 지하철 1호선
끝자락 경산과 맞닿은 이 지역의 명칭은

옛 삼국시대 왕건이 안심이란 지역까지 도망가고
나서 마음을 안심했다 해서 그때부터 안심(安心)
으로 불렸다. 경기도 자취생활 2년 차 쌀 뜨물은
눈으로 조절이 가능해졌고, 국은 간을 보지 않아도
맵고 짜지 않는 중간단계를 섭렵할 수 있다.
대형마트에서 구경하는 시간이 재밌고.
퇴근 후 마시는 맥주 와 오롯이 쉬는 날 마시는
맥주 맛이 다름을 깨닫다. 그런데
친구들이 없는 경기도 자취생활은 가끔 달갑지 않을
때가 크다.

상가 앞에 잠시 주차하는 날이면 부리나케 차를
빼달라고 연락이 온다.
경기도에서 맛집이라며 찾아갔더니 대구 보다 비싼
가격에 놀랐고 포장된 음식은 고기보다 빈 공간이
먼저 '안녕' 인사하고 있었다.
대구에서 이런 식으로 장사했다가 손님부터
잃었을지도 모를 것이다.

경기도는 길바닥에 엎어지면 택시가 바로 잡힐 줄
알았다. 지하철이 코 앞일 줄 알았다.
버스 정류장도 근처에 조금만 걸어가면 있을 줄
알았다. 그동안 익숙했기에 촌스러웠고 당연했었다.

별 볼일 없었고 무심한 공간인 내 고향이
그리울때가 많다.

객지 생활은 '관계' 보다 '공간'에서 불어오는
어색함이 크다. 30년 가까이 익숙했고 별
볼일 없었던 감삼역이 반갑게 느껴지는 오늘
내 고향에게 감사함을 느낀다.

대구 지하철 2호선 감삼역 이다

아! 이렇게 정다운

너 하나 나 하나는

어디서 무엇이 되어 다시 만나랴

-김광섭 저녁에

감삼 그리고 감사해 친구들

꿈 이야기

24년 1월 낮에 꾼 꿈 이야기를 들려줄게요.

대략적인 꿈 내용은 증강현실이 vr 기기를 넘어
식당(공간)에서 상용화된 꿈이었다. 가상현실이
개인에게서 이젠 전체가 즐길 수 있는 오락거리가
된 것이다.

내가 있는 곳은 한쪽은 무대 같은 공연장이 있고
측면에는 식당/카페가 있었다.

대형 공간에서 문화생활을 복합적으로 즐기는
곳이었다.

모두가 의자에 자리를 잡고 앉는다.

내 옆에는 시끄러운 중국인들도 자리에 앉는다.

무심코 공연장 위를 바라보니 천장은 석양이 지는

하늘로 바뀌고 에어쇼가 펼쳐진다. 8개의
블랙이글스 항공기가 하나의 대형을 이루며 꼬리
날개 에는 비행운을 내뿜고 있다. 빠른 속도로 우리
정수리 위로 향해 날아오다 갑자기 대형 폭죽으로
변신한다.

여기저기 환호 소리가 들려온다.

나는 사진을 찍기 위해
카메라를 지켜들었지만, 어느새 가상공간은 다른
스토리로 바뀐다. 이때 우리를 둘러싸고 있던
주변에 배경화면은 황무지로 변하기도 하고
천둥번개가 치기도 한다.

원더 키디 2020 나올 법한 군용 차량들, 갑옷을
입은 군인들이 분주하게 관객들을 향해 전쟁 연출을
보여준다. 놀람과 공포를 자아낸다.

증강현실 속에 있던 사람들은 실제와 구분이 불가한
연출에 연신 입을 다물지 못하게 한다.

나도 모르게 비명을 지르기도 한다.

내 옆에 앉아있던 중국 관객은 처음 보는
광경이었는지 놀라며 자리를 뜬 상태였다.

증강현실에 연출은 5분도 채 되지 않았다.

어쩌면 복합 문화 공간에 개별 동의 없이
영사기를 틀었을 수도 있다. 또는 정해지지 않은
시간에 무작위로 틀었을 수도 있다.

오래된 증강현실은 우리의 이성적인 판단을 흐리게
할 수 있으니 그저 짧은 시간만 할애했으리란
생각이 든다.

나는 식당에서 앉아 넋 놓고 증강현실을 신기하게
바라 보고 있었다.

그런데 증강현실이 끝나자마자 여자친구는
투덜거린다.

점점 나에게 험한 말을 뱉고는 이내 불똥은
종업원으로 보이는 사람에게 다가가 다짜고짜
짜증을 부리고 항의하고 있다.

종업원과 실랑이를 본채 만 채 나는 잠시 자리를 뜬
뒤 카운터로 달려가 이 증강현실을 예약한 사람이
누구죠? 라고 물어본다.(아마도 이 증강 이벤트를
보여주기 위해서는 비싼 금전이 요구되나 보다.)

종업원은 예약한 사람 신청 사연과 신청한 분에
얼굴 사진을 보여줬다.

기억이 나지 않지만 빨간 머리에 백인 여성이었다.

저 멀리서 여행 온 사람이 이 비싼 증강현실을
예약해 주다니 매우 감사할 따름이었다.

여전히 여자친구는 감정이 격앙된 상태로 아까
종업원과 말다툼을 하고 있다. 이에 참지 못한

종업원이 폭력을 행사하려 하자, 나는 황급히
종업원을 양팔로 감싸며 필사적으로 말려본다.
마지못해 뚱뚱한 종업원은 투덜거리며 떨어져
나간다.
이제 문제를 해결해야 할 시간이다.
예전에 나였다면, 뒤로 돌아서 나의 여자친구에게
자초지종을 묻는다든지, 왜 이렇게 화만 내느냐
따졌을 것이다.

"뭐 속상한 일 있어? 아니면 고민거리 있었어-?"

"혹시 직장에서 힘든 일 있었던 거 아니니-?"

"뭐 땜에 자꾸 화내는데?"

"지금 밖에서 쪽팔리게 이- 뭐 하는 거야"

무조건 원인을 찾으려 했을 것이고 해결점을
안겨주려 했을 것이다.
이번에는 말없이 그녀에 양 팔을 어루만지기도 하고
머리를 쓰담기도 하고 가볍게 포옹도 해보았다
어깨도 토닥 거리기도 했다.

흠… 짧은 신음을 내뱉곤 살짝 보조개를 짓곤 그저
말없이 바라보았다.(속된 말로는 겨울 왕국
캐릭터같이
얼빵하면서도 조금 멍청한 표정을 지어보았다.)
내 눈길은 그녀를 바라만 보았다.
"뭐-"
라며 입술이 삐죽 나온 그녀에게 좁쌀 같은 크기에
내 눈 일지라도 사랑하는 사람에게 보내는 내 눈은
따뜻한 봄날 같은 눈빛을 발산하고 있었을
것이다(?!)
물론 이유는 알 수 없었지만 내 눈에도 눈물이
고여있었다.
(해결해 주고 싶은데 뭔가 내 능력 부족이랄까
나 자신이 못나 보이기도 했다)

그녀의 짜증에 대처법으로 원인을 찾기보다는
오늘은 다른 방식을 이용해서 왜 그녀가 화가
났는지 이유를 찾아야만 했다…
역시 화난 이유가 궁금하긴 했다…
나의 처방이 통했을까 그녀에 눈에는 그동안
참아왔던 서러운 눈물이 흐른다.
그리고
그녀는 내 입술에 키스를 한다.

나는 조금 전 먹은 밥알이 여전히 어금니랑 혀에
붙어 있어 그대에 입안에 들어갈 것만 같다고 했다.
그녀는 상관없다고 더욱 내 입술에 다가왔다.

"많이 힘들었지-?!… 내가 몰라서 미안해"
(여전히 나는 왜 그녀가 화가 나있는지 모르지만
이 상황엔 이 말을 써야 할 것 만 같았다. 자칫
단어 선택을 잘 못했다간…)

아무튼
왜 화내는지 그 원인을 물어보지 않았지만,

"응 요즘 너무 직장 생활이 힘들고 속상한 일이
많았어 나도 왜 이렇게 짜증이 나는지…"

그제야 이유 없이 화낸 이유를 알 수 있었다.
모든 문제가 해결된듯해 괜스레 나도 덩달아 기분이
좋았다. 속상한 일 가득한 여자친구에게 내가
대신 해결해 줄 수 없으니 괜히 마음이 무겁기만 했다.
아무리 짜증 내고 화를 자주 내도
내 눈에는 한없이 사랑스럽기만 보였다.
다음에도 이 방법으로 속상해하는
여자친구를 달래줘야지 하며 꿈에서 깨어났다.

📅 **2023년 6월 14일 수요일** >

리모컨 **꿈**이야기

열심시 화려한 게임화면을 보고 감탄사를
날렸다 영상이 종료되

다른 영상이 보고파 채널 버튼을 눌럿는데
실수로
- 버튼이 연속으로 눌러져

체널은 성인방송을 향해가다
뒤 돌아보니 방문은 열려 있고
잠시뒤
부모님은 헛기침하며
내 방안으로 들어와

오전 1:06

꿈 만 같은 일이었다.

아 난 여자친구가 없지 참⋯

에필로그

출근전Venti 사이즈 담긴 커피를 빠르게 원샷
출근후 믹스 커피 250ml 는 벤티에 부족함을
채운다.
김치 볶음밥 먹고 매운 혀를 풀어주는 Grande size
뜨끈한 국밥에 입안을 식혀주는 Regular한잔
이 입안을 상쾌하게 해준다.
독서 하면서 입안을 문단 문단 마다 적셔주는
아이스 카페라떼 한 모금은 가히 (능히) 중독
되어간다.

산스크리트 어로
현재세계를 "사바" 라고 부른다. 사바는 참고

견디다를 의미한다.

요즘 나는 어깨근육 파열로 진통제를 먹고있지만
그럼에도 수영을 꾸역꾸역 다니고 있다 무향 보다는
상큼한 바디샴푸를 선호한다.

한 여름에도 찌개류, 국밥을 즐긴다. 열무냉면, 비빔
냉면, 냉모밀 이런거 내 취향 아니다.

진지하게 극혐한다.

하루 2잔 이상 커피를 마셔줘야 혈액순환이 되는
듯 하다.

귀여운 수모에 늘 진심이고,

요람 부터 무덤까지 음악은 나의 삶 일부이다.

금연은 15년차 이지만 금주는 내 생애 생각지도
못한 단어이다.

끝으로

사진 찍을땐 절대로 차렷 자세로 찍을 수 없는
아집스러움이 있다.

그래서 주변에 친구가 많이 없나보다.

이런 사바~

이렇게 두 번째 책 <나는 이런 사람이 좋더라,>
집필을 마칩니다.

제목에 마침표 (.) 가 아닌 쉼표 (,) 가 들어간
이유는 앞으로 새로 마주할 이들을 위한 현재

진행형을 의미합니다. 새로운 만남에 대한
여백이기도 합니다.

정다운 그대와 내가 어디서 무엇이 되어 다시 만날
그날을 위해 이 글을 마칩니다.
4년이 지나도 저를 기억해주세요.

저의 이름은
김진원입니다.

2월 29일
작가 원S 문학산책

감사의 인사

두 번째 책이 출간 될 수 있게 영감을 주신
분들에게 감사의 인사를 남깁니다.

아프도록 사랑하는 김해석 회장님
아름다운 배영자 여사님
정신적 등대 김진찬(진선미)
조카 둥이 김한음 김유경
20년 지기 김보근(제수씨), 김진영 사랑한다.
원동초 스포츠 센터 화목 19시 수업반 ,월수금 20시 수업반 어머님들
김경선 선생님, 김동권 님
이효준 기타선생님
곽은애, 현정아, 배견희, 강나미, 류영우 형님,

이학주 형님 과 그 가족들, 최재훈형님, 이보영누나

송영춘, 이종국(제수씨 그리고 2월에 태어난 콴이~)

동촌 수영장 문여영, 변아연, 이혜민, 박도현, 김미나, 오승태

그리고 후배님 Y